Eccard, Johann; Ei

Neue geistliche und weltliche Lieder fuenf und vier Stimmen

Eccard, Johann; Eitner, Rob.

Neue geistliche und weltliche Lieder, zu fuenf und vier Stimmen

Inktank publishing, 2018

www.inktank-publishing.com

ISBN/EAN: 9783750144279

JOHANN ECCARD

NEUE
GEISTLICHE UND WELTLICHE LIEDER

zu fünf und vier Stimmen,

KÖNIGSBERG 1589.

In Partitur gesetzt

von

Rob. Eitner.

XXI. BAND

der

PUBLIKATION

AELTERER PRAKTISCHER UND THEORETISCHER MUSIKWERKE

herausgegeben von der

Gesellschaft für Musikforschung.

LEIPZIG,
Breitkopf & Härtel.
1897.

Preis 15 Mark.

VORREDE.

Johann Eccard ist 1553 zu Mühlhausen in Thüringen geboren, wie man auf dem Porträt von 1634 liest: »natus anno 1553, obiit 1611«. Er starb in Königsberg i. Pr. und nicht in Berlin wie man bisher annahm. Nach Stobaeus' Aussage war er ein Schüler Orl. de Lassus in München. Ob er je Italien besucht hat, lässt sich nicht nachweisen. Man zog bisher aus einem italienischen komischen Quintette aus seinen Liedern von 1589 Nr. 14 den Schluss, dass er in Venedig gewesen sein muss, doch ist dies ein zu schwacher Beweis, um darauf den Aufenthalt daselbst bauen zu können. Sicherer ist es, dass er 1571 in Mühlhausen lebte und von Joachim à Burck, der dort Organist und Musicus war, herangezogen wurde ihn als Komponisten bei Herausgabe der Helmbold'schen geistlichen Oden zu unterstützen. In den Oden von 1574 befinden sich drei von Eccard und in der Crepundia von 1579 vierzehn Gesänge. In letzterem Jahre war er in die Dienste des Jakob Fugger in Augsburg getreten, wie sich aus dem Titel zu seinem ersten Liederbuche ergiebt und 1580 berief ihn der Herzog in Preussen, Georg Friedrich von Brandenburg-Ansbach, als Musicus und Vicekapellmeister nach Königsberg i. Pr., um den alternden Kapellmeister Riccio zu unterstützen. 1604 trat er in dessen Stelle ein und vom 4. Juli 1605 datiert eine Bestallungsurkunde in der ihn der Kurfürst Joachim Friedrich von Brandenburg als Kapellmeister nach Berlin mit 200 Thlr. Gehalt, freier Wohnung nebst Naturalienlieferung berief. Da aber der Kurfürst schon am 18. Juli starb, so wurde die Bestallung ungültig und Eccard versah in Königsberg den Kapellmeisterposten noch bis ins Jahr 1611, seinem Todesjahre. Quellen: Teils die Titel seiner Druckwerke, teils Schneider's Geschichte der Oper in Berlin 1852, Anhang S. 23, Döring's Geschichte in Preussen S. 28, v. Winterfeld's ev. Kirchengesang und die bereits oben angeführten.

Eccard war bisher fast nur als ein Hauptvertreter des Choralsatzes und Erfinder von Choralmelodien bekannt, von denen Zahn in seinen Melodien des deutschen ev. Kirchenliedes, Bd. 5, p. 406 zwanzig Melodien als sein Eigentum nachweist. Seine übrigen Kompositionen aber sind bisher nur wenig beachtet worden, obgleich G. W. Teschner 1870 zwölf geistliche Gesänge aus seinen übrigen Werken herausgab. Die vorliegende Sammlung von 1589 rührt aus der reifsten Zeit seines Schaffens und lässt uns Eccard nach allen Seiten seines Könnens beurteilen. Wenn die 25 Lieder auch nicht gleichwertig sind, so zeugen sie dennoch sämtlich eine bedeutende Schaffenskraft und einen feinen Sinn für Wohlklang, ganz abgerechnet seine technische Kunstfertigkeit, die ihn als ebenbürtig den grössten Meistern seiner Zeit zeigt. Seine geistlichen Tonsätze sind durchweg sehr schön, sowohl die fünfstimmigen, als die vierstimmigen, ebenso die weltlichen Lieder mit sinnigen Liebesgedichten, dagegen sind die Trinklieder und die mit komischen Texten trocken und langweilig. Dem Deutschen war es damals durchweg noch nicht gegeben die Musik in den Dienst der heiteren oder komischen Muse zu stellen. Er hängt so fest an dem ihm geläufigen Ausdrucke und den Kunstmitteln, dass er nicht im Stande ist, sich dieser Stimmung zu entziehen und da er doch etwas anderes geben will, als wie im geistlichen Satze und den innigen Liebesliedern, so verfällt er ins Trockene und Langweilige. Am Besten gelingt Eccard noch der letzte Satz in »Pocula in hesterna« und zwar auch erst in der letzten Hälfte. Bemerkenswerte Ansätze zur Charakteristik der Stimmung finden sich auch in Nr. 14 »Zanni et Magnificat«, doch sind sie nicht im Stande dem Satze den richtigen Ausdruck zu geben. von Winterfeld erklärt die mannigfachen Texte im letzterem Satze folgendermafsen (Bd. 1, p. 436): Sie sollen eine Scene auf dem Marcusplatze in Venedig vorstellen: Zwei Bettler heischen mit Ungestüm einen Almosen von einem stolz vorübergehenden Edeln, einander im Eifer das Wort aus dem Munde nehmend: »O messir, o patru, u non poa plu cantar, perchu crep della fam«. Dieser heerscht ihnen entgegen: »Che diau, che faztu, che vostu, als bestion« etc. In diesem Gespräch hineinfallend, wie es scheint mit einer bekannten Volksweise, sucht ein Vierter sich verständlich zu machen, bei jeder Wiederholung seines Liedes einen höheren Anlauf mit der Stimme nehmend, bis er genötigt wird sich wieder herabzustimmen: »Ella bella franceschina, ninina, bavina, la fili bustachina« etc. Das Ganze ruht auf einer Bassstimme, scheinbar eines deutschen Söldners, der mit der italienischen Sprache nur wenig vertraut ist und daher ein wahres Kauderwelsch hervorbringt. Aus diesem Liede schliesst v. Winterfeld, dass sich Eccard wohl zeitweise in Venedig aufgehalten haben muss, wo er unmittelbar den Eindruck des dortigen Treibens empfangen hat. — Noch sei des französischen Liedes Nr. 13 erwähnt, welches durch die Behandlung des Hauptmotivs, dessen Umkehrung und geschickte Benützung einen trefflichen und einheitlichen Eindruck hervorruft.

Eccard ist sowohl in der Bezeichnung der erhöhten und erniedrigten Töne, als in der Unterlage des Textes ausserordentlich genau und gewissenhaft. Seine Zeitgenossen vernachlässigten in ihren Druckwerken beides oft in empfindlicher Weise, so dass wir heute nur mit unsicherer Hand der Vernachlässigung abhelfen konnten. Das Eccard'sche Werk wird daher auch in dieser Hinsicht grössere Klarheit schaffen und denen zu Hilfe kommen, die sich bisher bemüht haben in beides eine gewisse Gesetzlichkeit zu bringen. In der Orthographie ist Eccard, wie alle seine Zeitgenossen, sehr willkürlich. Hier schreibt er ein Wort mit grossem Anfangsbuchstaben, während dasselbe Wort in einem anderen Stimmbuche mit kleinem Anfangsbuchstaben geschrieben ist. Ferner schreibt er einmal wil, sol etc., dann wieder will, soll. Ich habe daher stets bei solchem Wechsel in den Stimmbüchern die neuere Orthographie gewählt, im Übrigen aber die Schreibweise des alten Druckes beibehalten. — Auch in der Schlüsselzusammenstellung

Templin im Februar 1896.

giebt Eccard einen trefflichen Beweis, dass nur allein der Umfang der Stimme den Schlüssel bestimmt und nicht, wie Manche meinen, die Schlüssel die Tonart bestimmen; so gebraucht er z. B. bei Nr. 17 die drei gewöhnlichen C-Schlüssel für Discant, Alt und Tenor und den Baritonschlüssel für den Bass und zwar nur deshalb, weil derselbe bis zum d hinauf reicht und die Alten den Grundsatz beachteten, dass die Noten nicht das Notensystem überschreiten dürfen; ebenso verwendet er den Mezzosopranschlüssel für den Alt, wenn derselbe bis zum hohen e reicht.

Über die vorliegende Partitur habe ich nur zu erwähnen, dass sie getreu dem Originale wiedergegeben ist, mit Hinzufügung aller nötigen Hilfsmittel, um sowohl dem in den alten Schlüsseln Ungeübten durch die Klavierpartitur zu Hilfe zu kommen, als denjenigen, welche die Sätze einem Chore einüben wollen, durch die Metronomisierung und Angabe von Vortragszeichen. Beide Notierungen will ich nicht unbedingt als massgebend bezeichnen und besonders werden die Vortragszeichen noch in weit umfangreicherer Weise anzuwenden sein, da ich nur im Allgemeinen mich auf die unumgänglichsten beschränkt habe, jedoch werden sie dem Dirigenten immerhin eine Hilfe gewähren und ihn von vornherein in den Charakter des Satzes einführen. Selbstverständlich wird das Tempo einem öfteren Wechsel unterworfen sein, der zwar nur gering sein darf, dennoch je nach Umständen hier eine Beschleunigung, dort ein Zurückhalten erfahren muss, bedingt durch die anfangs langen Wertnoten mit denen jeder Satz beginnt und die sich dann im Verlaufe öfter in viele kleine Noten auflösen.

Rob. Eitner.

Newe Lieder

Mit fünff vnd vier Stimmen / gantz

lieblich zu fingen vnd auff allerley Inſtru-
menten zugebrauchen:

Durch

Iohannem Eccardum Mulhuſinum, F. D. in Preuſſen Muſicum
vnd Vice Capellenmeiſter componirt / corrigirt /
vnd in Druck verfertiget.

DISCANTVS·

Gedruckt zu Königsperg in Preuſſen bey Georgen Oſterbergern /

M. D. LXXXIX.

Den Gestrengen / Edlen / Ehren-
vesten / Achtbarn / Hochgelahrten / Namhafften vnd Wolwei-
sen Herren / Burggraffen / Burgermeistern / Rathmannen / Richtern vnd
Gerichtsverwandten der Königlichen Stadt Dantzigk /
Meinen großgünstigen Herren.

Estrenge / Edle / Ehrenueste / Achtbare / Hochge-
gelarte / Namhaffte vnd Wolweise / großgünstige Herren /
Obwol zu allen zeiten Leute gefunden werden / welche entweder von
natur / oder sonsten aus böser verleitung vnd getrieb / die Musicam
verachten / verfolgen / vnd alles böses dauon reden / So befindet man
doch widerumb vnd hergegen etliche / beuorab was weise / geschickte /
verstendige Leute / vnd mit hohen gaben gezieret sein / welche artem
Musicam lieben / befürdern / vnd den jenigen / so derselben verwandt / allerley freundschafft /
beförderung vnd wolthat erzeigen / Wie dann E. G. E. vnd N. W. vnter den liebhabern
vnd beförderern dieser Kunst nicht die geringste stelle haben. Wann ich dann die zeit hero /
weil ich in F. D. zu Preussen rc. meines gnedigsten Fürsten vnd Herrn Capellen / für einen
Vice Capellenmeister mich gebrauchen lassen / vnd neben andern Compositionibus / auch gegen-
wertige Gesenge verfertiget / Hab ich auff vielfeltiges anhalten vnd bitten meiner guten Herren
vnd Freunde / der Music liebhabern / diese in Druck zugeben / mich bereden lassen.

Vnd dieweil solche meine Cantiones (Sintemal dieser lieblichen vnd nutzbaren Kunst
verfolger vnd verächter an allen orten vnd stellen zu jederzeit zu jeder zeit zubefinden) eines
patrocinij bedürfftig / Als wil dieselbe E. G. E. vnd N. W. ich hiermit dienstlichen offeriret /
dediciret / Auch solche in derselben patrocinium vnd schutz gegeben haben / dienstlich vnd
zum fleissigsten bittende / Es wollen E. G. E. vnd N. W. solch mein gering werck günstig-
lichen vffnehmen / vnd sich meine arbeit wolgefallen lassen / Wo vmb E. G. E. vnd N. W.
ich solches widerumb zuuerdienen weis / sol an mir kein vleiß gesparet werden / Vnd thue
E. G. E. vnd N. W. hiermit Gottes gnedigem schutz / mich aber denselben zu gunsten dienst-
williglich befehlen. Datum Königsperg den 13. Aprilis / Anno 1580.

E. G. E. vnd N. W.

Allzeit dienstwilliger

Iohannes Eccardus Mulhusinus
F. D. in Preussen Vice Capellmeister.

Nr. 1.

*) Die Originalschlüssel. Dem Leser steht es frei nach dem einen oder anderen Schlüssel den Tonsatz zu lesen oder singen zu lassen. Die Noten selbst haben ihren Platz unverändert behalten, ausser dem Alt.
**) Der besseren Übersicht halber sind die Takte durch kleinere Taktstriche halbiert.
Stich und Druck von Breitkopf & Härtel in Leipzig

2

11

14

10

19

Nr. 3.

22

24

Der ander Theil.

War... haf... tig ist des Her... ren Wort, war haf... tig des Her... ren Wort, sein Zu... sag ist[*] ge... wis.

*) Die übrigen Stimmen sehr für ist.

langsamer

Nr. 4.

♩ = 56. M. M.

2. Lieb soll mir sein   der Gnaden Schein
In Jesu Christ verborgen,
Nun acht ich nicht   was mir gebricht,
Will hinfort gar nicht sorgen,
Dann all mein Hort   steht in dein Wort,
Das Gott sich giebt mir eigen,
Ach das ich kunt   mit Herz und Mund
Mein Gott viel Dank erzeigen.

3. Sag Lob und Preis,   mein Herz mit Fleis,
Dem lieben Gott mit Freuden,
Das er sich hat   im Gnaden Bad
Vom Teufels Reich geschieden.
Er hat sein Wort,   des Himmels Pfort,
Aus Gnad dir eingedrucket
Und dich so schon   mit seinem Sohn
Nach allem Lust geschmücket.

Nr. 5.

der Gott für Au . . gen helt, der Gott für Au . gen helt, sich sei.ner
Gott vor Au.gen helt, der Gott für Au.gen helt. der Gott für Au . gen helt. sich
helt. der Gott für Au.gen helt, der Gott für Au.gen helt
für Au.gen helt. der Gott für Au gen helt, sich sei.ner Weg be.
helt, der Gott für Au.gen helt,
Weg beflei . sset, sich sei.ner Weg be fleissset, sich sei.ner Weg be.flei .
sei.ner Weg be flei . sset, sich sei.ner Weg be.flei . sset, sich
sich sei.ner Weg be.flei . sset, sich sei.ner Weg be.
flei . sset sich sei.ner Weg be.flei . sset, sich seiner Weg be.flei .
sich sei.ner Weg be.flei .
sset, sich sei.ner Weg be.flei . sset.
sei.ner Weg be . flei . sset, da . von auch nicht ab .
flei . sset, sich sei.ner Weg be flei . sset, da . von auch nicht ab.fält, da .
sset. da.von
sset, sich sei.ner Weg be.flei . sset, da . von auch nicht ab .

2. Dein Weib gleich einem Reben
In deinem Haus wird sein,
Der seine Frucht thut geben
Zu seiner Zeit vom Wein.
Dein Kinder wirstu sehen
Zu ringst umb deinen Tisch
Nach einer Reihen stehen,
Gleich wie die Ölzweig frisch.

3. Das seind die schönen Gaben,
Die Gott den Menschen gibt,
Die ihn in Ehren haben,
Von dem er wird geliebt.
Er wird dich benedeien,
Aus Syon und der Stadt
Jerusalem verleyen
Bei deinem Leben Gnad.

36

Nr. 6.

Der ander Theil.

Nr. 7.

Der erste Theil.

Der ander Theil.

Schutz, und helst mir Schutz vors Teu - fels Trutz, nimmst mich auch ein
und helst mir Schutz vors Teu - fels Trutz, nimmst
Schutz, und helst mir Schutz vors Teu - fels Trutz, nimmst mich auch
mir Schutz vors Teufels Trutz, nimmst mich auch ein, nimmst
Schutz, und helst mir Schutz vors Teu - fels Trutz, nimmst mich auch ein,
nimmst mich auch ein in die ro - ten fünf Wun - den dein, in
mich auch ein, nimmst mich auch ein in die ro - ten fünf Wun - den dein, in
ein in die ro - ten fünf Wun - den dein,
mich auch ein, nimmst mich auch ein in die ro - ten fünf Wun - den dein, in
nimmst mich auch ein in
die ro - ten fünf Wun - den dein, in die ro - ten fünf Wun - den dein.
die ro - ten fünf Wun - den dein, in die ro - ten fünf Wun - den dein.
in die ro - ten fünf Wunden dein, in die ro - ten fünf Wun - den dein.
die ro - ten fünf Wun - den dein. in die ro - ten fünf Wun - den dein.
die ro - ten fünf Wun - den dein, in die ro - ten fünf Wun - den dein.

Der dritte Theil mit drey Stimmen.

Der vierdte Theil mit vier Stimmen.

Der fünffte Theil.

Der sechste Theil.

61

Nr. 8.

Weltliche Lieder.

Nr. 9.

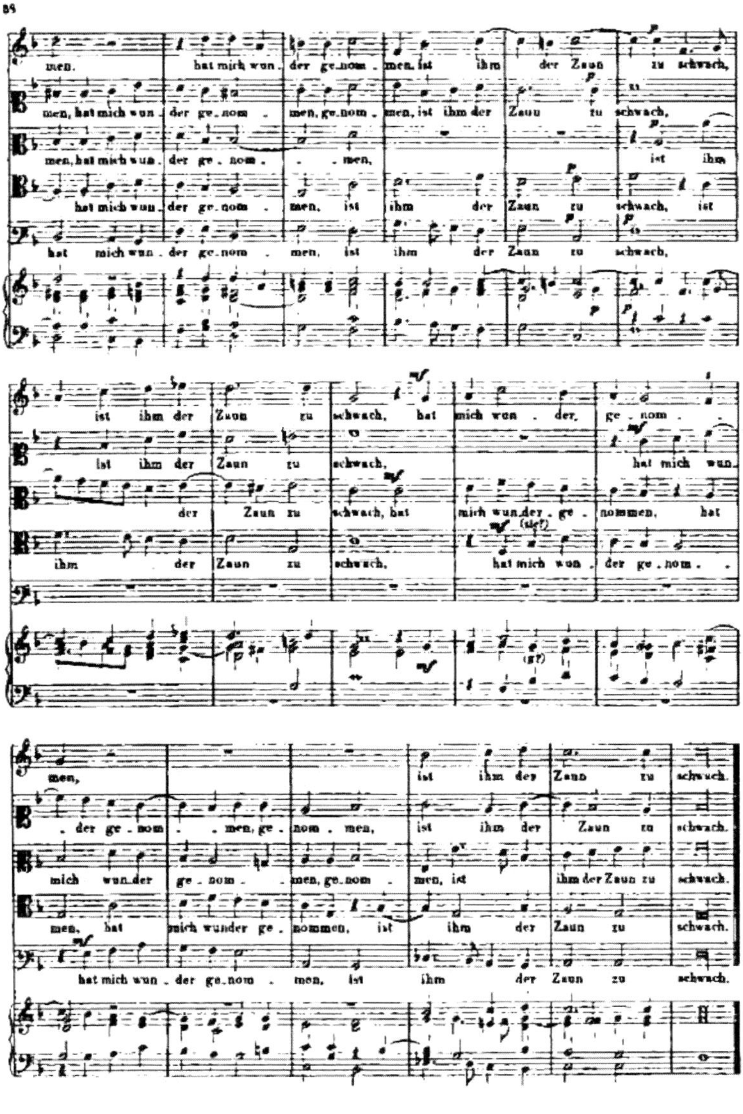

Der ander Theil mit vier Stimmen.

Der dritte Theil.

es ist ein gmeine Sag, es ist ein gmeine Sag,
chuk thu nicht sor - gen, es ist ein gmeine Sag, es ist ein gmei - ne Sag, wie
gen, es ist ein gmei - ne Sag, es ist ein gmeine Sag,
sor - gen, es ist ein gmeine Sag, es ist ein gmeine Sag,
thu nicht sor - gen, es ist ein gmeine Sag, es ist ein gmeine Sag,
wiewol es un - ver bor - gen, wie - wol es un - verbor -
wol es un - ver - bor - gen, wie - wol es un - ver - bor - gen,
wiewol es, wie - wol es un - ver - bor - gen, wie - wol es un - verbor -
wie - wol es un - ver - bor - gen, wie - wol es un - ver - bor - gen,
wie - wol es un - ver - bor - gen, all.
gen, all be - reit ist am Tag ein sprö -
all be - reit ist am Tag, all be - reit ist am Tag ein sprö -
gen, all bereit ist am Tag ein sprö - de Weid
all - be - reit ist am Tag.
be - reit ist am Tag,

Nr. 10.

75

Der ander Theil mit vier Stimmen.

67

76

Der dritte Theil mit drey Stimmen.

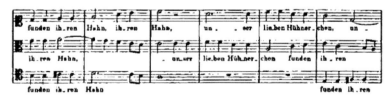

Der vierdte Theil.

Nr. 11.

Die Quinta vox hat folgende Ueberschrift:

Sunt Syllabae, Notae, Pausaeque septenae,
Quas septies iterans, complebis hoc Carmen.
und darunter folgende Notenzeile:

Altum alij sapiant.

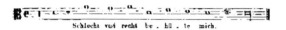

Schlecht und recht be . hü . te mich.

84

Nr. 12.

90

Nr. 13.

94

Seconde Partie.

Nr. 14.
Zanni et Magnifico.

Seconda parte.

Folgen hernach etliche geistliche Gesäng Johannis Eccardi Mulhusini
mit vier Stimmen.

Nr. 15.

110

Nr. 16.

2. Auf gruner au er weidet mich,
Durchs wort macht er mich grünen,
Er furt und treibt mich seuberlich
Zu frischen wasser brunnen.
Er trencket mich mit seinem Geist,
Den er in seiner Tauff ausgeust,
Mit seinen schönen gaben.

3. Er auch erquicket meine Seel
In meiner angst und leiden,
Mit seiner gnad, trost, freud und heil,
Durch seinen Geist mich leitet;
Auf rechter strass er fuhret mich
In glaub und lieb, auff das auch ich
Sein nahmen ewig preise.

Der ander Theil.

113

2. Fur mir bereitestu ein tisch,
Damit mein Feinde krenkest,
Und speisest mich mit deinem fleisch,
Mit deinem blut mich trenkest.
Du salbest mich mit freuden öl
Und schenkest mir mit gnaden vol
Beid gegen Sünd und Teufel.

3. Dein gute und barmhertzigkeit
Wolthat mir folgen werden,
Mein leben lang zu aller zeit
Biss an mein end auf erden.
Im haus des Herren bleib ich zwar,
In seiner Kirchen immerdar
Werd ewigs leben erben.

Nr. 17.

Melodie nach Praetorius' Musae Sioniae VIII, 44 mit kleinen Varianten und Einschiebungen nach dem 1. und 2. Verse. Text in der geistlichen Umdichtung (siehe Böhme's altdeutsches Liederbuch Nr. 637?) Teilweise geht der Bass im Kanon mit dem Sopran.

108

117

Nr. 18.

*) Die bekannte Melodie aus Klug's Gesangbuch von 1535, Bl. 93, liegt hier zu Grunde.

Nr. 19.

Weltliche Lieder.

Nr. 20.

*) Fälschlich fis gis im Original.

Nr. 21.

thut. es ist ein hubsches Freu_e_lein, ein hubsches Freuelein, das mich erfreu_en thut.

thut, es ist ein hubsches Freu_elein, ein hubsches Freuelein, das mich erfreu_en thut.

thut, es ist ein hubsches Freu_e_lein, das mich erfreu_en thut.

thut, es ist ein hubsches Freu_e_lein, das mich erfreuen thut.

Nr. 22.

$\quad$ = 106 M. M.

1. Nun schürtz dich Gret_lein, schürtz dich, du must mit mir da_von, du
2. Sieh, Hens_lein, lie_bes Hens_lein, so lass mich bey dir sein, so

1. Nun schürtz dich Gretlein, schürtz dich, du must mit mir da_
2. Sieh, Hens_lein, lie_bes Hens_lein, so lass mich bey dir

1. Nun schürtz dich Gret_lein, schürtz dich, du must
2. Sieh, Hens_lein, lie_bes Hens_lein, so lass

1. Nun schürtz dich Gretlein, schürtz dich, du
2. Sieh, Hens_lein, lie_bes Hens_lein, so

129

Nr. 23.

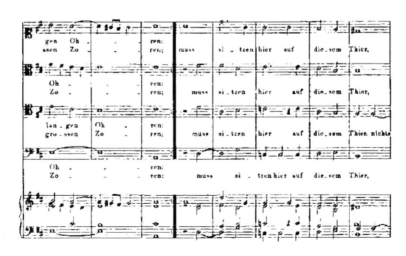

2. Der Reuter gut   hat keinen Muth
   Zu leiden das Vexiren,
   Folgt er meiner Lehr,   zuerst nicht so sehr,
   Wolt sich selbst examiniren.
       Fürwar er würd   so schwere Burd
   Dem Esel wol benehmen,
   Sich accomdirn   in seinem Hirn
       Und dem Vexirn bequemen.

3. Viel besser ist   zu dieser Frist
   Vexationes leiden
   Und treiben dabey   gut Stöckerey,
   Den hielt ich für ein Gscheiten.
       Es ist der Sitt   wers leidet mit,
   Dem thut mans viel mehr machen,
   Muss leiden Noth   und grossen Spot,
       Jederman thut sein lachen.

Nr. 24.

Nr. 25.

137

*) Fehlt, der Custos weist auf e, resp. g.

Register

In der Quinta vox und im Altus noch einmal die Druckerfirma mit dem Buchdruckerwappen des Georg Osterberger: Eine wappenartige Arabeske mit Pfauenfeder an der Spitze und mit dem Bande: D. S. D. H. M. R.; unten in einem Schilde ein Lamm.